O Profeta

Conforme Novo Acordo Ortográfico

Kahlil Gibran

O Profeta

Tradução:
Sandra Guerreiro

Do original: *The Prophet*
© 2009 Madras Editora Ltda.

Editor:
Wagner Veneziani Costa

Produção e Capa:
Equipe Técnica Madras

Tradução:
Sandra Guerreiro

Revisão:
Wilson Ryoji Imoto
Ana Paula Luccisano

Dados Internacionais de Catalogação na Publicação (CIP)
(Câmara Brasileira do Livro, SP, Brasil)

Gibran, Kahlil, 1883-1931.
O profeta / Kahlil Gibran ; tradução Sandra
Guerreiro. — 4. ed. — São Paulo : Madras, 2009.
Título original: The prophet.
ISBN 978-85-370-0455-5
1. Ficção libanesa I. Título.
09-00575 CDD-892.7
 Índices para catálogo sistemático:
  1. Ficção : Literatura libanesa 892.7

Embora esta obra seja de domínio público, o mesmo não ocorre com a sua tradução cujos direitos pertencem à Madras Editora assim como adaptação e a coordenação da obra. Fica, portanto, proibida a reprodução total ou parcial desta obra, de qualquer forma ou por qualquer meio eletrônico, mecânico, inclusive por meio de processos xerográficos, incluindo ainda o uso da internet, sem a permissão expressa da Madras Editora, na pessoa de seu editor (Lei nº 9.610, de 19.2.98).

Todos os direitos desta edição, em língua portuguesa, reservados pela

MADRAS EDITORA LTDA.
Rua Paulo Gonçalves, 88 — Santana
CEP: 02403-020 — São Paulo/SP
Caixa Postal: 12299 — CEP: 02013-970 — SP
Tel.: (11) 2281-5555 — Fax: (11) 2959-3090
www.madras.com.br

Prefácio

A vida proveu a humanidade de gênios, cada um com a sua missão, cada qual portador de um dom especial.

Um para música, outro para ciência e um terceiro para pintura; alguns destes têm dons múltiplos, o que os torna mais raros. Um gênio múltiplo sem dúvida foi Kahlil Gibran.

Kahlil Gibran nasceu no norte do Líbano, em 6 de janeiro de 1883, na cidade de Bicharre, nas cercanias da floresta dos cedros sagrados. Passou grande parte de sua vida nos Estados Unidos, foi uma criança solitária, que gostava de estar em contato com a natureza.

Desde cedo teve gosto pelas artes, tinha especial admiração por Leonardo da Vinci, trabalhou com o fotógrafo Fred Holland Day, inclusive desenvolvendo projetos artísticos.

Com a idade de 15 anos, foi mandado de volta ao Líbano, para estudar. Travou contato com a cultura árabe e foi grandemente influenciado, apesar de permanecer como um pensador singular e livre de dogmas.

Após a estadia em sua terra natal, ele foi ter com a família na França. Lá chegando, encontra sua família destruída, sua mãe morre logo após sua chegada. Seus irmãos Boutros e Sultana haviam morrido de tuberculose.

Ganha a vida como pintor, tendo como mecenas Mary Haskell. Estuda pintura em Paris por dois anos.

Na sua volta aos EUA, vira retratista. Nessa época, troca correspondência com uma srta. libanesa de nome May Ziadah. Ela o encoraja a escrever em inglês. Devido a isso nasce o seu primeiro livro nessa língua, *The Madman*.

Escrever em inglês abriu definitivamente as portas para Kahlil Gibran, sendo o seu livro mais importante *O Profeta* (1923), uma obra de beleza singular, com estilo forte e poético. Poucos anos depois, ele escreve *Jesus, the Son of Man* (Jesus, o filho do Homem), outra de suas grandes obras.

O Profeta foi traduzido para várias línguas, um sucesso em todo o mundo, conseguindo respeito e admiração nas mais variadas culturas.

Prefácio 7

De fato, ao que tudo indica, Kahlil Gibran era um autor predestinado a escrever para todas pessoas, afinal, escrever em dois idiomas tão diferentes como o Árabe e o Inglês não é uma tarefa fácil, ainda mais mantendo a unidade e o espírito da escrita. Sabendo aproveitar o que a influência multicultural (ele era um cidadão do mundo) lhe trouxe, aprendendo o que o mundo tinha a lhe ensinar.

Sua trajetória foi um misto de inúmeras crenças, o que o torna mais rico e completo. Islamismo, Cristianismo e paganismo amalgamados, formando um todo coeso.

Curiosamente, seus escritos em inglês obtiveram mais sucesso do que os em árabe.

Morre em 1931 na cidade de Nova York, de tuberculose e insuficiência hepática, deixando um legado em suas obras. Uma ponte entre ocidente e oriente, uma ponte entre o artista e seu público.

Kahlil Gibran foi um artista no sentido da palavra. Tanto seus desenhos quanto sua poesia e seus livros foram aclamados e imortalizados.

Um homem que soube como ninguém expressar a alma do artista, ou melhor, do ser humano.

Criador de frases memoráveis, como:

"Aprendi silêncio com os falantes, tolerância com os intolerantes e gentileza com os rudes; ainda, estranhamente, sou ingrato a esses professores."

"Para entender o coração e a mente de uma pessoa, não olhe para o que ela já conseguiu, mas para o que ela aspira."

"As palavras são como flechas, depois de soltas, jamais retornam."

É com enorme prazer que a Madras Editora brinda o leitor com esta obra-prima da literatura mundial.

Termino este prefácio com uma história de Gibran:

Perguntaste como me tornei louco.

Foi desta forma:

Muito tempo antes dos deuses terem nascido, acordei de um sono profundo. Percebi que todas as minhas máscaras haviam sido roubadas.

As setes máscaras feitas por mim e usadas em sete vidas.

Corri pelas ruas apinhadas de gente, gritando.

"Ladrões, Ladrões, amaldiçoados ladrões."

Homens e mulheres riram de mim, alguns voltaram às suas casas, com medo de mim.

Quando cheguei à praça do mercado, um menino que estava em cima do telhado gritou: — é um louco.

Olhei para cima para vê-lo, e o Sol beijou-me.

Pela primeira vez o Sol beijou minha face nua.

Minha alma se inflamou de amor pelo Sol.

Não desejei mais minhas máscaras.

Assim me fiz louco.

Encontrei liberdade e segurança e minha loucura, a segurança de não ser compreendida, pois o outro que nos compreende escraviza algo em nos.

Wagner Veneziani Costa

Presidente da Madras Editora

Nota Biográfica

Gibran Khalil[1] Gibran nasceu em 6 de dezembro de 1883, na cidade de Bicharre, no sopé dos milenares Cedros ao norte do Líbano. Seu pai, um cobrador de impostos, era também um beberrão e jogador, mas, por parte de mãe, descendia de uma estirpe de intelectuais eruditos e clérigos maronitas. Kahlil não teve educação formal, porém aprendeu inglês, francês e árabe simultaneamente, e demonstrou um talento precoce como artista, desenvolvendo uma grande paixão por Leonardo da Vinci com a idade de apenas seis

---
1. *Originalmente escrita na forma Khalil, a ortografia do nome do autor foi alterada para uma forma mais óbvia e fonética quando ele passou a frequentar a escola em Boston. É interessante notar que Kahlil significa o escolhido, o amigo amado, e Gibran significa o remediador ou confortador das almas.*

anos. Quando completou onze anos, sua família, com exceção de seu pai, emigrou para a América e estabeleceu-se entre uma comunidade de libaneses expatriados em Chinatown, Boston. Sua mãe trabalhou como costureira e seu irmão mais velho, Boutros, abriu um supermercado. Gibran passou então a frequentar a escola, onde a pronúncia de seu nome foi trocada para Kahlil. Ele começou a ter aulas de desenho e logo foi apresentado ao fotógrafo Fred Holland Day, que o usava como modelo, e encarregava-se de alguns de seus projetos artísticos.

Em 1898, Gibran foi enviado de volta à sua terra natal para frequentar a escola de Al Hikma, em Beirute. Lá, estudou literatura romântica francesa e literatura árabe. Em 1902, voltou a ter com sua família em Paris. Sua irmã Sultana morreu de tuberculose antes de sua chegada, sendo acompanhada pouco tempo depois por seu irmão, Boutros. Algumas semanas depois, sua mãe morreu de câncer, deixando-o sozinho com sua irmã mais nova, Mariama. Gibran vendeu o supermercado deixado pelo irmão e então passou a ganhar a vida como pintor.

Gibran teve um romance com a jornalista Josephine Peabody, a qual o apresentou a Mary Haskell, uma professora que se tornou sua patrocinadora e colaboradora. Sua carreira como pintor estabilizou-se quando passou a escrever para o periódico de emigrantes árabes *Al Mohajer*.[2] Em 1905, seu primeiro livro, *Al-Musiqah*, foi publicado. Seguiram-se então mais artigos e livros, a maioria deles criticando o estado e a igreja, e em 1908, seu primeiro livro de poemas, *Al-Arwah al Mutamarridah*, foi proibido pelo governo e ele foi excomungado pela igreja síria. Mary Haskell custeou-lhes então uma estada de dois anos em Paris, onde Gibran estudou pintura na *Ecole des Beaux Arts* e na *Académie Julien*. Lá, ele fez uma exposição, em 1910.

De volta à América, após Mary Haskell recusar seu pedido de casamento, mudou-se para Nova Iorque e passou a trabalhar como pintor de retratos. Lá, ele expunha frequentemente, e um livro de suas pinturas foi publicado. Em 1912, a publicação do romance *Broken Wings*[3] levou-o a manter correspondência durante toda a sua vida com May Ziadah, uma jovem libanesa residente no Cairo. Mary Haskell encorajou-o a escrever em inglês e em 1915, escreveu o poema *The Perfect World*,[4] sendo este seguido por seu primeiro livro em inglês, *The Madman*,[5] de 1918. Durante esses anos, ele continuou a escrever em árabe e prosseguiu seu trabalho como artista. Em

---
2. *O Emigrante.*
3. *Asas Partidas.*
4. *O Mundo Perfeito.*
5. *O Demente.*

1920, Gibran fundou uma associação literária chamada *Arrabitah* ou *A Liga Literária*. Tanto sua carreira de pintor como a de escritor prosperavam; no entanto, sua saúde degenerava-se, e ele passou a beber exageradamente a fim de amenizar fortes dores cardíacas. Frequentemente era convidado a dar palestras em congregações da igreja liberal. Uma exibição de seus desenhos a bico de pena foi inaugurada em Boston, em 1922, e em 1923, sua obra-prima, *O Profeta*, foi publicada. O livro foi sucesso imediato, e as vendas não paravam de aumentar. Gibran publicou várias outras obras tanto em inglês quanto em árabe, sendo a mais notável dentre elas *Jesus Son of Man*[6] (1928), publicada antes de morrer de insuficiência hepática e princípio de tuberculose em 10 de abril de 1931. Gibran nunca perdeu sua paixão pelo Líbano, sua terra natal, local em que está sepultado e onde se tornou uma lenda.

---

6. *Jesus, o Filho do Homem*.

Al-Mustafa,[7] o escolhido e o amado, o qual era um alvorecer em seu próprio dia, aguardara 12 anos na cidade de Orphalese pela chegada do navio que o levaria de volta à ilha onde nascera.

E no décimo segundo ano, no sétimo dia de Ailul, o mês de colheita, ele subiu a colina além das muralhas da cidade e olhou para o mar; e eis que avistou seu navio aproximando-se com a bruma.

Então os portões de seu coração abriram-se num ímpeto, e seu júbilo atravessou para muito além daquele mar. E ele fechou seus olhos e orou com a alma silenciosa.

Mas, quando desceu a colina, uma tristeza o abateu, e ele ponderou em seu coração:

---

7. *Expressão árabe que significa 'O Escolhido', um dos epítetos do profeta Muhammad.*

Como posso partir em paz e sem tristeza? Não, jamais deixarei esta cidade sem levar um ferimento na alma.

Longos foram os dias de sofrimento que passei detrás destes muros, e longas foram as noites de solidão; e quem pode abandonar sua dor e sua solitude sem sentir pesar?

Muitos fragmentos de meu espírito dispersei por estas ruas, e muitas são as crianças de minha saudade que caminham nuas por entre estas colinas, e eu não posso afastar-me delas sem sentir peso ou dor na consciência.

Não é uma antiga vestimenta da qual me livro hoje, mas sim uma pele que rasgo com minhas próprias mãos.

Da mesma forma, não é um pensamento que deixo para trás, mas sim um coração embelecido pela fome e pela sede.

Contudo, não posso permanecer por muito tempo.

O mar que a tudo invoca chama por mim, e eu devo embarcar.

Pois ficar, embora as horas ardam na noite, é congelar e cristalizar-me ficando preso a um molde.

Gostaria de levar comigo tudo que aqui se encontra. Mas como poderia?

Uma voz não pode carregar consigo a língua e os lábios que lhe deram asas. Ela deve percorrer solitária o éter.

E solitária e sem seu ninho, deve a águia voar para além do sol.

Ao alcançar o sopé da colina, ele voltou-se novamente em direção ao mar, e viu seu navio aproximando-se do porto, e em sua proa os marinheiros, os homens de sua terra.

E sua alma gritou para eles, e disse:

Filhos de minha velha mãe, vós que viajais sobre as marés.

Quantas vezes haveis velejado em meus sonhos. E agora vindes em minha vigília, a qual é meu sonhar mais profundo.

Estou pronto para partir, e minha ânsia repleta de velas espera pelo vento.

Apenas mais um alento inalarei deste ar tranquilo, apenas mais um olhar carinhoso lançarei para trás,

E então me estabelecerei entre vós, um navegador entre navegadores.

E tu, vasto mar, mãe mergulhada em sono profundo,

A qual ao mesmo tempo é paz e liberdade, para o rio e para a corrente,

Apenas mais uma volta fará esta corrente, apenas mais um murmúrio nesta senda,

E então me lançarei a ti, uma gota infinita num oceano infinito.

E enquanto caminhava, ele avistava ao longe homens e mulheres abandonando seus campos e vinhedos, e correndo em direção aos portões da cidade.

E ouviu suas vozes chamando por seu nome, e bradando de campo em campo, anunciando um ao outro a chegada de seu navio.

E disse para si mesmo:

Deverá o dia da separação ser o dia da união?

E por acaso, revelar-se-á que meu anoitecer era na verdade minha aurora?

E o que proferirei àquele que abandonou seu arado no meio do caminho, ou para aquele que parou o lagar de seu vinho?

Tornar-se-á meu coração uma árvore carregada de frutos, os quais poderei recolher e oferecer-lhes?

Serei eu uma harpa, de modo que as mãos do Poderoso possam tocar-me, ou uma flauta, para que seu sopro possa passar através de mim?

Serei eu um investigador dos silêncios, e que tesouros terei neles encontrado, que possa distribuir com confiança?

Se este é meu dia de colheita, em que campos terei eu lançado a semente, e em que olvidadas estações?

Se este, de fato, é o momento no qual alço minha lanterna, não será minha chama que arderá em seu interior.

Vazia e escura eu erguerei minha lanterna,

E o guardião da noite a encherá de azeite, e também a acenderá.

Estas coisas ele disse com palavras. Mas muito permaneceu recôndito em seu coração. Pois ele próprio não conseguia proferir seu segredo mais íntimo.

E quando ele adentrou a cidade, todos vieram até ele e gritavam-lhe como que em uma única voz.

E os anciãos da cidade adiantaram-se e disseram:

Não te apartes de nós ainda.

Um meio-dia tens sido em nosso crepúsculo, e tua juventude tem nos dado sonhos para sonhar.

Não és estranho entre nós, nem um hóspede, mas sim nosso filho, por nós ternamente amado.

Que nossos olhos não tenham que sofrer ainda, ansiando por sua face.

E os sacerdotes e sacerdotisas disseram-lhe:

Não deixes que as ondas do mar nos separem agora, e que os anos que viveste entre nós tornem-se uma recordação.

Tu caminhastes entre nós como um espírito, e tua sombra foi uma luz sobre nossas faces.

Muito te amamos. Silencioso, porém, foi nosso amor, e por véus foi ele ocultado.

Todavia, neste instante ele surge num alarido, e permanecerá desvelado diante de ti.

E jamais este amor foi conhecedor de sua própria profundeza, até a hora da separação.

E os outros se aproximaram da mesma forma e imploraram-lhe. Mas ele lhes negou. Ele apenas acenava com sua cabeça; e aqueles que estavam próximos viam as lágrimas caírem por sobre seu peito.

E ele e a multidão dirigiram-se à grande praça diante do templo.

E de dentro do santuário emergiu uma mulher, uma profetisa de nome Almitra.

E ele a olhou com extrema ternura, pois fora ela quem primeiro o seguira e nele acreditara, quando estava há apenas um dia em sua cidade.

Então ela o saudou, dizendo:

Profeta de Deus, buscador do mistério derradeiro, há muito que investigas o horizonte em busca de teu navio.

E agora teu navio chegou, e tu deves inevitavelmente partir.

Profunda é a saudade que sentes pela terra de tuas recordações, morada de teus maiores anseios; e nosso amor não seria capaz de constranger-te, nem nossas carências de reter-te.

Ainda assim, pedimos que, antes de deixar-nos, fale para nós e dê-nos tua verdade.

E nós a ensinaremos a nossos filhos, e estes aos seus filhos, e ela jamais perecerá.

Em tua solitude velastes durante nossos dias, e em tua insônia ouvistes os lamentos e os risos de nosso sono.

Agora, portanto, revele-nos a nós mesmos, e diga-nos tudo que a ti foi mostrado sobre o que jaz entre o nascimento e a morte.

E ele replicou:

Povo de Orphalese, do que posso falar, salvo o que já está a revolver-se em vossas almas?

Então disse Almitra:

Fala-nos sobre o Amor.

E ele ergueu sua fronte e mirou as pessoas, e sobre elas pairava um profundo silêncio. E com grande altivez falou:

Quando o amor chamar-vos, segui-o,

Ainda que seus caminhos sejam íngremes dificultosos.

E quando suas asas envolverem-vos, entregai-vos a ele,

Ainda que a lâmina oculta entre suas penas possa ferir-vos.

E quando ele vos falar, acreditai-o,

Ainda que sua voz possa perturbar vossos sonhos, assim como o vento norte devasta o jardim.

Pois da mesma forma que o amor coroa-vos, ele vos crucifica. Da mesma forma que ele vos faz crescer, ele vos poda.

Da mesma forma que ele eleva-se a vossa estatura, e acaricia vossos mais delicados ramos que estremecem sob o sol,

Assim também ele descenderá até vossas raízes, e as sacudirá em seu agarrar à terra.

Como feixes de milho ele vos aperta junto ao coração.

Ele vos debulha para deixar-vos nus.

Ele vos peneira para separar-vos de vossas casacas.

Ele vos mói até tornarde-vos alvos.

Ele vos amassa até que estejais maleáveis;

E então, ele vos depõe em seu fogo sagrado, de modo que vos torneis hóstias sagradas para o banquete sagrado de Deus.

Todas estas coisas vos fará o amor, de modo que venhais a conhecer os segredos de vossos corações, e em seus conhecimentos transformai-vos em um fragmento do coração da Vida.

Porém, se em vosso temor vós desejardes buscar apenas a paz e o prazer do amor,

Então é melhor para vós que cobri vossa nudez, apartando-vos da eira do amor,

E segui pelo mundo sem estações, no qual rireis, embora não todo vosso riso, e chorareis, embora não todo vosso pranto.

O amor não dá nada além de si mesmo e não toma nada a não ser de si mesmo.

O amor não possui nem tampouco é possuído;

Pois para o amor basta o amor.

Quando vós amardes não deveis dizer, 'Deus está em meu coração', e sim, 'Eu estou no coração de Deus'.

E não penseis que sois capazes de dirigir o curso do amor, pois o amor, se achar-vos merecedor, dirige vosso curso.

O amor não deseja senão realizar a si mesmo.

Se vós, porém, amardes e inevitavelmente possuirdes desejos, que estes sejam vossos desejos:

De dissolver-vos e tornar-vos um ligeiro riacho, o qual entoa uma melodia pela noite.

De sentirdes dor de tanta ternura.

De serdes feridos por vosso próprio entendimento do amor;

E de sangrar desejosa e alegremente.

De acordar de manhã com o coração atingido e agradecer por mais um dia de encantamento;

De repousar ao meio-dia e meditar sobre o êxtase do amor;

De retornar ao lar ao anoitecer, repleto de gratidão;

E de então deitar-se com uma oração ao ente amado em vosso coração, e uma canção de louvor em vossos lábios.

Então Almitra tomou a palavra novamente e disse: E sobre o Casamento, mestre?

E ele respondeu, com as seguintes palavras:

Vós nascestes unidos, e unidos permanecereis eternamente.

Vós estareis juntos quando as asas da morte apagarem vossos dias.

Deveras, vós estareis unidos até mesmo na silenciosa memória de Deus.

Não obstante, que hajam espaços em vossa união.

E que os ventos celestes possam dançar entre vós.

Amai uns aos outros, porém não fazei do amor uma obrigação.

Que ele, em vez disso, seja um mar movente entre as margens de vossas almas.

Enchei os cálices uns dos outros, mas não bebei do cálice alheio.

Compartilhai de vosso pão com o outro, mas não comei do mesmo pão.

Cantai e dançai juntos e sede alegres, porém que cada um de vós seja só,

Assim como as cordas de um ataúde são separadas, embora vibrem com a mesma melodia.

Oferecei vossos corações, mas não os deixai sob custódia de outrem.

Pois somente a mão da Vida pode encerrar vossos corações.

E ficais juntos, embora não demasiadamente próximos:

Pois os pilares do templo mantêm-se separados,

E o carvalho e o cipreste não crescem à sombra um do outro.

E uma mulher que carregava um bebê em seu colo disse:

Fala-nos sobre as Crianças.

E ele respondeu:

Vossos filhos não são vossos filhos.

Eles são filhos e filhas da ânsia da Vida por si própria.

Eles vêm através de vós, mas não de vós,

E embora eles estejam convosco, ainda assim eles não vos pertencem.

Vós deveis dar-lhes vosso amor, mas não vossas opiniões,

Pois eles têm seus próprios pensamentos.

Vós deveis abrigar seus corpos, mas não suas almas,

Pois suas almas habitam no lar do amanhã, o qual não podeis visitar, nem mesmo em vossos sonhos.

Vós deveis esforçar-vos para serdes como eles, mas não deveis procurar torná-los semelhantes a vós.

Pois a vida não volta atrás, nem tampouco permanece no ontem.

Vós sois arcos, dos quais vossos filhos são lançados como flechas vivas.

O Arqueiro avista o alvo além da senda do infinito, e Ele vos enverga com Sua força, de modo que Suas flechas vão rápidas e distantes.

Que vosso envergar nas mãos do Arqueiro se dê com contentamento;

Pois assim como Ele ama a flecha que voa, igualmente ama o arco que permanece imóvel.

Então disse um homem de posses:

Fala-nos sobre a Caridade.

E ele respondeu:

Vós dais muito pouco quando dais de vossas possessões.

É quando dais de si mesmos que estais realmente dando.

Pois o que são vossas possessões, senão coisas que vós guardais e protegeis, por temerdes que delas venhais a precisar amanhã?

E o amanhã... o que o amanhã há de trazer para o mui prudente cão, o qual enterra seus ossos na areia que não deixa rastros, quando segue os peregrinos até a cidade sagrada?

E o que é o medo da necessidade senão a própria necessidade?

Não se teme a sede mesmo quando o poço está cheio, posto que a sede é inextinguível?

Há aqueles que dão pouco do muito que possuem — e o dão para obter reconhecimento, e seu desejo oculto torna seus donativos corruptos.

E há aqueles que possuem pouco e dão tudo.

Estes são os crentes na vida, e na generosidade da vida, e seu cofre nunca está vazio.

Há aqueles que dão com alegria, e esta alegria é sua recompensa.

E há aqueles que dão com sofrimento, e este sofrimento é seu batismo.

E há aqueles que dão e não sofrem com isso, nem tampouco nisso buscam alegria, nem dão cuidando de sua virtude;

Dão da mesma maneira que, no vale ao longe, o mirto exala sua fragrância no espaço.

Pelas mãos de pessoas como estas Deus fala, e por detrás de Seus olhos Ele sorri sobre a Terra.

É bom dar quando se é pedido, no entanto é melhor dar sem ser solicitado, apenas pela compreensão.

E para o generoso, a alegria da procura por alguém que possa receber é maior do que a da própria doação.

E há algo que vós gostaríeis de reter?

Tudo que vós tendes deverá um dia ser doado;

Portanto, dê agora, de modo que a estação de caridade possa ser vossa, e não de vossos herdeiros.

Vós frequentemente dizeis, 'Eu darei, mas apenas a quem merecer'.

As árvores em vosso pomar não dizem isso, nem tampouco o dizem os rebanhos em vossos pastos.

Eles dão para que possam viver, pois reter significa perecer.

Certamente, aquele que é digno de receber seus dias e suas noites é digno de tudo o mais que provenha de vós.

E que merecimento maior poderia haver do que aquele que repousa sobre a coragem e a confiança, mais ainda, na caridade, de receber?

E quem sois vós para que os homens devessem abrir-vos seus corações e expor seu orgulho, de maneira que viésseis a ver seu valor despido e seu orgulho desavergonhado?

Enxergai primeiro que vós deveis ser doadores, e instrumentos da doação.

Pois na verdade, é a vida que doa à vida — enquanto vós, que vos julgais os doadores, não passais de testemunhas.

E vós recebedores — e vós sois todos recebedores — não pretendeis qualquer tipo de gratidão, para que não se crie qualquer laço de obrigação entre vós e aquele que doa.

Em vez disso, erguei-vos junto com ele sobre suas doações, como se fossem asas.

Pois cuidar em demasia de vosso débito é o mesmo que duvidar de sua benevolência, a qual possui a generosa terra por mãe, e Deus por pai.

Então um velho, dono de uma hospedaria, disse:

Fala-nos do Comer e Beber.

E ele respondeu:

Que bom seria se pudésseis viver apenas da fragrância da terra, e como uma planta serdes sustentados pela luz.

Mas já que necessitais matar para alimentar-vos, e arrebatar leite do recém-nascido para saciardes vossa sede, que isso seja então um ato de adoração,

E que vossas mesas sejam como altares, onde as coisas puras e inocentes da floresta e da planície sejam sacrificadas, para aquilo que é ainda mais puro e inocente no homem.

Quando matardes uma besta, dizei-lhe em vosso coração:

'Pelo mesmo poder que te mata, eu também sou morto; e eu também hei de ser consumido.

Pois a lei que te entregou em minha mão há de entregar-me em uma mão superior.

Teu sangue e meu sangue não são mais do que a seiva que alimenta a árvore do firmamento'.

E quando triturardes uma maçã com vossos dentes, dizei-lhe em vosso coração:

'Tuas sementes viverão em meu corpo,

Os brotos de teu amanhã florescerão em meu coração,

Tua fragrância será meu hálito,

E juntos regozijaremo-nos através das estações'.

E no outono, quando colherdes as uvas de vossos vinhedos para extraíres o vinho, dizei em vosso coração:

'Eu também sou um vinhedo, e meus frutos serão recolhidos para o lagar,

E em forma de vinho novo serei derramado em ânforas eternas'.

E no inverno, quando consumirdes o vinho, que haja em vossos corações uma canção para cada cálice;

E que a canção evoque a memória dos dias de outono, dos vinhedos, e dos lagares de vinho.

Então um lavrador disse:

Fala-nos do Trabalho.

E ele respondeu, dizendo:

Vós trabalhais a fim de acompanhardes o ritmo da terra e de sua alma.

Pois, ao permanecerdes ociosos, vós vos converteis em estranhos dentro das estações, e desviai-vos da procissão da vida, a qual marcha com excelência e altivez rumo ao infinito.

Quando trabalhais, vós sois uma flauta; por meio de cujo coração o sussurro das horas transforma-se em música.

Quem dentre vós gostaríeis de ser um bambu, embotado e sem som, quando todos mais cantam juntos em uníssono?

Sempre vos disseram que o trabalho é uma maldição, e o labor um infortúnio.

Mas eu vos digo que quando trabalhais vós realizais uma porção do sonho derradeiro da vida, a qual vos foi incumbida quando este sonho nasceu,

E ao ocuparde-vos com o labor, estais de fato amando a vida,

E amar a vida através do trabalho é familiarizar-se com seu segredo mais íntimo.

Porém, se em vosso sofrimento chamardes ao nascimento uma aflição, e ao suporte de vossa carne uma maldição inscrita em vossa fronte, então eu vos digo que o suor de vossa própria fronte apagará o que está inscrito.

Foi-vos dito também que a vida é feita de trevas, e em vossa fadiga vós repetis o que vos foi dito pelos fatigados.

E eu vos digo que a vida de fato é feita de trevas, salvo quando há vontade,

E toda vontade é irracional, salvo quando há sabedoria.

E toda sabedoria é vã, salvo quando há trabalho,

E todo trabalho é vazio, salvo quando há amor;

E quando vós trabalhais com amor, vós vos ligais a vós mesmos, e uns aos outros, e a Deus.

E o que é trabalhar com amor?

É tecerdes a roupa com fios extraídos de vosso coração, como se a pessoa amada fosse usá-la.

É construirdes uma casa com afeição, como se a pessoa amada fosse ali habitar.

É plantardes as sementes com ternura e regardes a colheita com alegria, como se a pessoa amada fosse comer dos frutos.

É infundirdes em tudo que fazeis um alento de vosso próprio espírito,

Com frequência tenho-vos ouvido dizer, como se falásseis dormindo, 'Aquele que torneia o mármore e encontra a forma de sua própria alma na pedra, é homem mais nobre do que aquele que lavra o solo'.

'E aquele que apreende o arco-íris, a fim de estampá-lo sobre um tecido com as formas do homem, é melhor do que aquele que faz as sandálias para nossos pés.'

Mas eu vos digo, não em sono, mas na plena vigilância do meio-dia, que o vento não fala mais amavelmente ao gigantesco carvalho do que à mais ínfima folha de relva;

E é dileto apenas aquele que, por meio de seu próprio amor, transforma a voz do vento em uma canção ainda mais amável.

O trabalho é o amor feito visível.

E se vós sois incapazes de trabalhar com amor, e só o fazeis com desgosto, é melhor que abandoneis vosso trabalho e sentai-vos à entrada do templo, pedindo esmolas àqueles que trabalham com alegria.

Pois, se vós assais o pão com indiferença, vós assais um pão amargo, que saciará apenas metade da fome do homem.

E se vós espremeis as uvas com má vontade, vossa má vontade destila um veneno no vinho.

E se vós cantais como os anjos, e não amais vosso cantar, vós tapais os ouvidos do homem para as vozes do dia e para as vozes da noite.

Então uma mulher disse:

Fala-nos da Alegria e da Tristeza.

E ele respondeu:

Vossa alegria é vossa tristeza desmascarada.

E o mesmo poço de onde surge vosso riso, muitas vezes, foi preenchido por vossas lágrimas.

E como isso pode ser?

Quanto mais fundo a tristeza estiver gravada em vosso ser, mais alegria vós sereis capazes de encerrar.

Não é o cálice que contém vosso vinho o mesmo que foi queimado no forno do oleiro?

E não é o alaúde que conforta vosso espírito a mesma madeira que foi entalhada com lâminas?

Quando vós estiverdes alegres, olhai no fundo de vosso coração, e vós descobrireis que é justamente aquilo que vos causou tristeza aquilo que vos está causando alegria.

Quando vós estiverdes melancólicos, olhai no fundo de vosso coração, e vós vereis que, na verdade, estais lamentando por aquilo que fora vosso deleite.

Alguns de vós dizeis: 'A alegria é maior do que a tristeza', e outros dizem: 'Não, a tristeza é maior'.

Mas eu vos digo: elas são inseparáveis.

Juntas elas vêm, e quando uma se senta solitária convosco à vossa mesa, lembrai-vos de que a outra está dormindo sobre vossa cama.

Em verdade, vós estais suspensos como pratos de balança, entre vossa tristeza e vossa alegria.

Apenas quando vós estais vazios vos tornais imóveis e equilibrados.

Quando o tesoureiro vos ergue para pesar seu ouro e sua prata, inevitavelmente deve vossa alegria ou vossa tristeza ascender ou decair.

Então um pedreiro adiantou-se e disse:

Fala-nos das Habitações.

E ele respondeu:

Construí de vossa imaginação um caramanchão na selva antes de construirdes uma casa dentro das muralhas da cidade.

Pois, toda vez que voltardes para a casa ao entardecer, assim também o faz o viajante dentro de vós, sempre distante e solitário.

Vossa casa é vosso corpo em maior escala.

Ela floresce ao sol e adormece na quietude da noite; e também não é desprovida de sonhos. Vossa casa não sonha, e, sonhando, deixa a cidade e segue para o bosque ou para o cume do morro?

Quisera eu ser capaz de recolher vossas casas em minha mão, e como um semeador espalhá-las na floresta e no prado.

Quisera que os vales fossem vossas ruas, e as veredas verdejantes, vossas vielas, que procurásseis uns aos outros por entre os vinhedos, e voltásseis com a fragrância da terra em vossas vestimentas.

Mas ainda não é tempo de isto acontecer.

Temendo isto, vossos antepassados ajuntaram-vos muito próximos. E este medo deve perdurar ainda mais um tempo. Por mais um tempo as muralhas de vossa cidade hão de separar vossos corações de vossos campos.

E dizei-me, povo de Orphalese, o que vós tendes nestas casas? E o que vós protegeis com portas trancadas?

Tendes vós paz, o impulso tranquilo que revela vosso poder?

Tendes vós recordações, os luzentes arcos que abarcam os píncaros da mente?

Tendes vós beleza, a qual conduza o coração dos objetos de madeira e pedra até a montanha sagrada?

Dizei-me, vós tendes isto em vossas casas?

Ou vós tendes apenas conforto, e o desejo do conforto, aquela coisa furtiva que adentra a casa como um convidado, e então torna-se um anfitrião, e então um senhor?

Oh sim! E ele transforma-se num domador, e com laços e açoites reduz a fantoches vossos maiores desejos.

Embora suas mãos sejam sedosas, seu coração é de ferro.

Ele vos embala para o sono, apenas a fim de permanecer ao lado de vossa cama e zombar da dignidade de vosso corpo.

Ele escarnece de vosso bom senso, e deita-vos sobre a lanugem como se fôsseis vasos frágeis.

Em verdade, a cobiça pelo conforto aniquila a paixão da alma, e então *refestela-se* ironicamente no funeral desta.

Mas vós, crianças do espaço, vós que sois irrequietos durante o repouso, não sereis apanhados nem domesticados.

Vossa casa não será uma âncora, e sim um mastro.

Ela não será uma membrana brilhante que recobre um ferimento, mas uma pálpebra que protege um olho.

Ela não atará vossas asas, para que possais passar por entre portas, nem curvará vossas cabeças, para que não batam no teto, nem vos farão temer respirar, pois as paredes poderiam fender-se e desabar.

Vós não habitareis em tumbas feitas pelos mortos para os vivos.

E embora magnificente e esplendorosa, vossa casa não possuirá vosso segredo, nem abrigará vossa saudade.

Pois aquilo que é ilimitado em vós reside na mansão do firmamento, cuja porta é a névoa da manhã, e cujas janelas são as melodias e os silêncios da noite.

E o tecelão disse:

Fala-nos das Vestimentas.

E ele respondeu:

Vossas roupas escondem muito de vossa beleza, embora não ocultem aquilo que é vil em vós.

E embora procureis nas vestimentas o privilégio da privacidade, vós encontrareis nelas um arreio e um grilhão.

Quem dera vós pudésseis sentir o sol e o vento com mais de sua pele, e menos de vosso traje.

Pois o alento da vida está na luz do sol, e a mão da vida está no sopro do vento.

Alguns de vós dizem: 'Foi o vento norte que teceu as roupas que usamos'.

E eu digo: Sim, foi o vento norte,

Porém, ele teve a vergonha como tear, e o enfraquecimento dos nervos como seu fio.

E quando terminou seu trabalho, ele gargalhou na floresta.

Não vos esqueçais de que a modéstia é um escudo contra os olhos dos impuros.

E quando os impuros não mais existirem, o que fora a modéstia senão um encarceramento e uma imposição da mente?

E não vos esqueçais de que a terra deleita-se ao sentir vossos pés nus, e os ventos almejam brincar com vossos cabelos.

E um mercador disse:

Fala-nos da Compra e da Venda.

E ele respondeu:

Para vós a terra rende seus frutos, e nada vos faltará se apenas souberdes como encher vossas mãos.

É na permuta das dádivas da terra que vós deveis encontrar abundância e ficar satisfeitos.

Todavia, a menos que a permuta seja feita com amor e com bondosa justiça, ela levará apenas uns à avareza e outros à fome.

Quando na feira, vós mourejadores do mar, dos campos e dos vinhedos encontrais os tecelões, os oleiros e os coletores de especiarias —

Invocai neste momento o espírito mestre da terra, para que apareça em vosso meio e que santifique as balanças e os cálculos que comparam valor com valor.

E não permiti que os avaros tomem parte em vossas transações, os quais venderiam suas palavras em troca de vosso labor.

Para tais homens vós deveis dizer:

'Venhais conosco para os campos, ou vai com nossos irmãos para o mar e lançai vossa rede;

Pois a terra e o mar hão de ser generosos para convosco assim como são para nós'.

E se vierem os cantores, os dançarinos e os flautistas — comprai de suas ofertas também.

Pois eles também são coletores de frutas e de olíbano, e aquilo que eles trazem, embora feito de sonhos, é abrigo e alimento para vossa alma.

E antes de deixardes a feira, assegurai-vos de que ninguém está seguindo seu caminho de mãos vazias.

Pois o espírito mestre da terra não dormirá em paz por entre os ventos até que as necessidades de cada um de vós estejam satisfeitas.

Então um dos juízes da cidade aproximou-se e disse:

Fala-nos do Crime e da Punição.

E ele respondeu, dizendo:

É quando vosso espírito divaga pelo vento,

Que vós, solitários e incautos, cometeis um delito para com outros e portanto para consigo mesmos.

E por aquele delito cometido deveis bater ao portão dos abençoados e esperardes sem serdes notados.

Tal qual o oceano é vosso eu divino;

Ele permanece para sempre imaculado.

E como o éter, ele não suspende senão o que possui asas.

Igualmente ao sol é vosso eu divino;

Ele não conhece os caminhos da toupeira, nem procura as covas da serpente.

Mas vosso eu divino não habita a sós em vosso ser.

Muito de vós ainda é humano, e muito em vós ainda não é humano,

E sim apenas uma criatura informe e insignificante, que caminha adormecida na bruma, buscando seu próprio despertar.

E do que é humano em vós, agora falarei.

Pois é ele, e não vosso eu divino, nem a criatura insignificante na bruma, que conhece o crime e sua punição.

Frequentemente vos ouvi falar de alguém que comete um delito como se essa pessoa não fosse um dos vossos, senão um estranho entre vós e um intruso em vosso mundo.

Porém eu vos digo que nem mesmo o santo e o íntegro podem elevar-se acima daquilo que há de superior em cada um de vós,

Da mesma forma, o iníquo e o débil não podem descer abaixo do que há de mais vil em vós.

E assim como uma única folha não se torna amarela senão com a silenciosa sabedoria de toda a árvore,

Da mesma forma o malfeitor não pode fazer o mal sem o desejo oculto em todos vós.
Como uma procissão vós caminhais juntos, em direção a vosso eu divino.
Vós sois o caminho e o caminhante.
E quando um de vós cai, ele cai por aqueles que estão atrás dele, um aviso sobre a pedra no meio do caminho.
Sim, e ele cai por aqueles que estão a sua frente, os quais, embora de passos mais rápidos e firmes, ainda assim não removeram a pedra no meio do caminho.
E há mais, embora a palavra possa ofender vossos corações:
O assassinado não é irresponsável por seu próprio assassinato,
E o roubado não é irrepreensível por ter sido roubado.
O íntegro não é inocente pelas obras do vil,
E o honesto não é imaculado pelos feitos do criminoso.
Realmente, o culpado muitas vezes é vítima do injuriado.
E mais vezes ainda o condenado carrega o fardo dos irrepreensíveis e corretos.

Vós não podeis separar o justo do injusto e o bom do mau;

Pois eles estão juntos sob a face do sol, assim como o fio negro e o fio branco são tramados juntos.

E quando o fio negro se rompe, o tecelão examinará todo o tecido, e examinará o tear também.

Se qualquer um de vós levar a julgamento a esposa infiel,

Que ele pese também o coração de seu marido em balanças, e que tome as medidas de sua alma.

E que aquele que vá criticar o ofensor, olhe dentro do espírito do ofendido,

E se qualquer um de vós for em nome da integridade golpear com machado a árvore do mal, que ele examine suas raízes;

E em verdade, ele encontrará as raízes do bom e do mau, do fecundo e do estéril, entrelaçadas no coração silencioso da terra.

E vós juízes que quiserdes ser justos,

Que julgamento vós pronunciaríeis sobre aquele que, embora seja honesto externamente, é um criminoso no espírito?

Que penalidade vós infringiríeis sobre aquele que externamente mata, embora ele mesmo seja assassinado no espírito?

E como vós processaríeis aquele que em suas ações é um enganador e um opressor,

Embora também esteja sendo lesado e ultrajado?

E como vós puniríeis aqueles cujo remorso já é maior que seus crimes?

Não é o remorso a justiça administrada por aquela lei a qual vós desejais servir?

Todavia vós não sois capazes de infringir o remorso ao inocente, nem de alçá-lo do coração do culpado.

Sem ser chamado, ele há de surgir durante a noite, para que os homens possam acordar e contemplar a si mesmos.

E vós que quereis entender a justiça, como podereis fazê-lo ao menos que examineis todos os atos com a plenitude da sabedoria?

Só aí vós sabereis que o ereto e o caído não são senão o mesmo homem, estagnado no crepúsculo, entre a noite de seu eu inferior e o dia de seu eu divino,

E que a pedra angular do templo não é superior à mais ínfima das pedras de sua fundação.

Então disse um advogado:

Mas e quanto a nossas Leis, mestre?

E ele respondeu:

Vós vos deleitais em criar leis,

Contudo maior ainda é vosso deleite em violá-las.

Como crianças brincando perto do oceano, construindo castelos de areia com persistência, e então os destruindo com riso.

Enquanto, porém, vós construís vossos castelos de areia o oceano traz mais areia para a costa, e quando vós os destruís, o oceano ri convosco.

Em verdade, o oceano sempre sorri com os inocentes.

Mas e quanto àqueles para os quais a vida não é um oceano, e as leis dos homens não são castelos de areia,

Mas para os quais a vida é uma rocha, e a lei um cinzel com o qual a esculpirão a sua própria semelhança?

E quanto ao aleijado que odeia os dançarinos?

E quanto ao boi que ama seu jugo, e considera o alce e o cervo da floresta criaturas extraviadas e vagabundas?

E quanto à velha serpente que não pode mais deixar sua pele, e chama a todos os outros de nus e desavergonhados?

E quanto àquele que chega cedo para o banquete de casamento, e quando sente que comeu demais e está fatigado, diz que todas as festas são uma violação e que todos os festejadores são transgressores da lei?

O que posso dizer destes, salvo que eles também estão sob a luz do sol, mas com suas costas viradas para ele?

Eles veem apenas suas sombras, e suas sombras são suas leis.

E o que é o sol para eles senão um lançador de sombras?

E o que é validar as leis, senão curvar-se e traçar suas sombras sobre a terra?

Mas vós que caminhais encarando o sol, que imagens esboçadas na terra poderão retê-los?

Vós que viajais com o vento, que ventoinha indicará vosso curso?

Qual lei do homem poderá deter-vos se romperdes vosso jugo, mas não estando à porta de nenhuma prisão humana?

Que leis temereis se vós dançardes, mas sem chocar-vos contra quaisquer grilhões de ferro humano?

E quem é aquele que vos levará a julgamento se vós arrancardes vossa vestimenta, mas sem deixá-la no caminho de homem nenhum?

Povo de Orphalese, vós podeis amortecer o som do tambor, e vós podeis afrouxar as cordas da lira, mas quem ordenará a cotovia que deixe de cantar?

E um orador disse:

Fala-nos da Liberdade.

E ele respondeu:

Aos portões da cidade e à vossa lareira eu vos tenho visto prostrados e idolatrando vossa própria liberdade,

Embora escravos humilhem-se diante de um tirano e o exaltem, ainda que ele os mate.

Sim, no arvoredo do templo e à sombra da cidadela eu vi os mais livres dentre vós utilizarem-se de sua liberdade como um jugo e uma algema.

E meu coração sangrou dentro de mim; pois vós apenas podeis ser livres quando mesmo o desejo de buscar a liberdade tornar-se um arreio para vós, e quando cessardes de falar da liberdade como uma meta e uma realização.

Vós sereis livres de fato, não quando vossos dias não tiverem preocupação nem vossas noites forem livres de desejo ou dor,

Mas, em vez disso, quando estas coisas cercarem vossa vida, e ainda assim vós vos alçardes acima delas, livres e desimpedidos.

E como alçar-vos-eis além de vossos dias e noites, a menos que rompeis os grilhões que à aurora de vossa compreensão atastes ao redor de vosso meio-dia?

Em verdade, aquilo a que vós chamais liberdade é a mais poderosa destas correntes, embora seus elos brilhem sob o sol e deslumbrem vossos olhos.

E o que são eles senão fragmentos de vosso próprio ser que deveis descartar, para que vos torneis livres?

Se é uma lei injusta que quereis abolir, esta lei foi escrita por vossa própria mão, sobre vossa própria fronte.

Vós não podeis apagá-la queimando vossos tratados de leis, nem lavando as frontes de vossos juízes, ainda que verteis todo o mar sobre elas.

E se é a um déspota que quereis destronar, vejam primeiro se seu trono erigido dentro de vós está destruído.

Pois como pode um tirano governar os livres e altivos, senão por uma tirania dentro de sua própria liberdade, e uma vergonha em sua própria altivez?

E se é uma preocupação de que quereis despojar-vos, esta preocupação foi escolhida por vós, e não a vós imposta.

E se é um temor que quereis afastar, o alicerce deste temor está em vosso coração, e não na mão do temido.

Em verdade, todas as coisas se movem dentro de vosso ser em constante meio-termo, o desejado e o temido, o repugnante e o apreciado, o procurado e aquilo de que quereis escapar.

Estas coisas movimentam-se dentro de vós, como luzes e sombras que se ligam aos pares.

E quando a sombra enfraquece e deixa de existir, aquela luz que perdura converte-se em uma sombra para outra luz.

E assim, vossa liberdade, quando se livra de seus grilhões, torna-se ela mesma o grilhão de uma liberdade maior.

E a sacerdotisa pronunciou-se novamente:

Fala-nos da Razão e da Paixão.

E ele respondeu, dizendo:

Vossa alma muitas vezes é um campo de batalha, sobre o qual vossa razão e vosso discernimento travam uma guerra, contra vossa paixão e vosso anelo.

Quem dera eu fosse o pacificador em vossa alma, para que pudesse converter a discórdia e a rivalidade de vossos elementos em harmonia e melodia.

Mas como eu o faria, a menos que vós também fosseis os pacificadores, mais ainda, os amantes de vossos próprios elementos?

Vossa razão e vossa paixão são o leme e as velas de vossa alma navegadora.

Se ambos, suas velas e seu leme estiverem quebrados, vós podereis apenas balançar e vaguear ao sabor do vento, ou então ficardes estagnados em mar aberto.

Pois a razão, governando solitária, é uma limitadora de forças; e a paixão, negligenciada, é uma chama que arde para sua própria destruição.

Portanto, que vossa alma exalte vossa razão à estatura de vossa paixão, para que ela possa cantar;

E que ela dirija vossa paixão com a razão, para que vossa paixão possa viver por sua própria ressurreição diária e, como a fênix, ressurgir de suas próprias cinzas.

Gostaria que vós considerásseis vosso discernimento e vosso desejo da mesma forma que o faríeis com dois convidados queridos em vossa casa.

Certamente, vós não honraríeis mais a um convidado do que ao outro, pois aquele que desse mais atenção a um perderia o afeto e a confiança de ambos.

Entre as colinas, quando sentardes à sombra fresca dos álamos-brancos, compartilhando da serenidade dos campos e pradarias distantes — então, que vosso coração diga em silêncio: 'Deus repousa na razão'.

E quando vier a tempestade, e o poderoso vento sacudir a floresta, e o trovão e o relâmpago proclamarem a majestade do céu — que vosso coração diga em reverência: 'Deus move-se com paixão'.

E visto que sois uma brisa na esfera de Deus, e uma folha em Sua floresta, vós também deveis repousar na razão e mover-se com paixão.

E uma mulher pediu:

Fala-nos da Dor.

E ele disse:

Vossa dor é o rompimento da carapaça que encerra vosso entendimento.

Assim como o caroço da fruta deve fender-se, a fim de que seu núcleo possa ficar exposto ao sol, da mesma forma vós deveis conhecer a dor.

E se vós fosseis capazes de manter vosso coração em admiração, pelos milagres diários da vida, vossa dor não pareceria menos maravilhosa do que vosso regozijo;

E vós aceitaríeis as estações de vosso coração, assim como tendes sempre aceitado as estações que passam sobre vossos campos.

E vós assistiríeis serenamente à passagem dos invernos de vossa aflição.

Muito de vossa dor é escolha própria.

É a poção amarga com a qual o médico dentro de vós cura vosso eu adoecido.

Portanto, confiai no médico, e bebei de seu remédio em silêncio e tranquilidade:

Pois sua mão, embora pesada e dura, é guiada pela mão delicada do Invisível,

E o cálice que ele traz, embora faça arder vossos lábios, foi moldado do barro que o Oleiro umedeceu com Suas próprias lágrimas sagradas.

E um homem disse:

Fala-nos do Autoconhecimento.

E ele respondeu, dizendo:

Vossos corações têm consciência em silêncio dos segredos dos dias e das noites.

Porém, vossos ouvidos anseiam pelo som do conhecimento de vosso coração.

Quereis saber com palavras aquilo que sempre soubestes em pensamento.

Quereis tocar com vossos dedos o corpo nu de vossos sonhos.

E é bom que o desejeis.

A nascente oculta de vossa alma deve inevitavelmente brotar e correr murmurante para o mar;

E o tesouro de vossas infinitas profundezas precisa ser revelado a vossos olhos.

Porém, que não haja balanças para pesar vosso tesouro desconhecido;

E não busqueis as profundezas de vosso conhecimento com um bastão ou com uma sonda.

Pois o eu é um mar ilimitado e imensurável.

Não digais 'Eu encontrei a verdade', mas em vez disso digais: 'Eu encontrei uma verdade'.

Não digais 'Eu encontrei o caminho da alma', mas ao invés disso digais: 'Eu encontrei a alma andando em meu caminho'.

Pois a alma anda por todos os caminhos.

A alma não caminha sobre uma linha reta, nem tampouco eleva-se como um junco.

A alma desabrocha, como uma lótus de incontáveis pétalas.

Então disse um professor:

Fala-nos do Ensino.

E ele respondeu:

Nenhum homem pode revelar-vos qualquer coisa, além daquilo que já se encontra semiadormecido na aurora de vosso saber.

O professor que caminha na sombra do templo, entre seus seguidores, não dá sua sabedoria, e sim sua fé e seu afeto.

Se de fato é sábio, ele não vos convida a adentrar a morada de sua sabedoria, mas em vez disso guia-vos ao limiar de vossa própria mente.

O astrônomo pode falar-vos de sua compreensão do espaço, porém não pode dar-vos sua compreensão.

O músico pode, diante de vós, louvar com cantos o ritmo que há em todo espaço, mas não pode dar-vos o ouvido que apreende o ritmo, nem a voz que o faz ecoar.

E aquele que é versado na ciência dos números pode falar-vos sobre as áreas do peso e da medida, mas não pode conduzir-vos até lá.

Pois a visão de um homem não pode emprestar suas asas a outro.

E mesmo que cada um de vós alcance por seus próprios meios a sabedoria de Deus, ainda assim cada um de vós deverá permanecer a sós em seu conhecimento de Deus e em sua compreensão da terra.

E um jovem disse:

Fala-nos da Amizade.

E ele respondeu, dizendo:

Vosso amigo é vossas necessidades atendidas.

Ele é vosso campo, o qual semeais com amor e colheis com gratidão.

E ele é vossa mesa e vossa lareira.

Pois vós vos dirigis a ele com fome, e o procurais para obter paz.

Quando vosso amigo revela-vos seu pensamento, vós não temeis o 'não' em vossa própria mente, nem contendes o 'sim'.

E quando ele está calado, vosso coração não deixa de ouvir seu coração;

Pois sem palavras, na amizade, todos os pensamentos, todos os desejos, todas as expectativas nascem e são compartilhados, numa alegria silenciosa.

Quando vós vos separardes de vosso amigo, não vos afligis;

Pois aquilo que mais amais nele pode tornar-se mais claro em sua ausência, como a montanha para o alpinista é mais nítida da planície.

E que não haja outro propósito senão o de intensificar vosso espírito.

Pois o amor que procura algo além da revelação de seu próprio mistério, não é amor e sim uma rede lançada: e apenas coisas inúteis são nela apanhadas.

E que aquilo que vós tendes de melhor seja dado a vosso amigo.

Se ele tiver de conhecer a baixa de vossa maré, que ele também conheça a alta.

Pois quem é seu amigo, para que vós o procureis a fim de matar o tempo?

Procurai-o sempre para viver as horas.

Pois o papel dele é preencher vossas necessidades, e não vosso vazio.

E na doçura da amizade que haja o riso e compartilhamento das alegrias.

Pois no orvalho das pequenas coisas o coração encontra sua manhã e é refrescado.

E então um erudito disse:

Fala-nos sobre o Colóquio.

E ele respondeu, dizendo:

Vós conversais quando deixais de estar em paz com vossos pensamentos;

E quando não mais podeis permanecer na solitude de vosso coração vós passais a viver em vossos lábios, e o som que emitis torna-se uma diversão e um passatempo.

E em muitos de vossos colóquios, a reflexão é praticamente aniquilada.

Pois o pensamento é um pássaro do espaço, que numa jaula de palavras pode realmente abrir as asas, contudo não pode voar.

Há aqueles dentre vós que buscam os loquazes por medo de ficarem a sós.

O silêncio da solidão revela a seus olhos seu eu desnudo e eles querem fugir.

E há aqueles que falam, e sem conhecimento ou premeditação revelam uma verdade que eles mesmos não entendem.

E há aqueles que carregam a verdade dentro de si, mas não a expressam com palavras.

No íntimo destes, o espírito habita em harmonioso silêncio.

Quando vós encontrardes vosso amigo à margem da estrada ou na feira, deixai que o espírito em vós mova vossos lábios e dirija vossa língua.

Deixai que a voz dentro de vossa voz fale para o ouvido de seu ouvido;

Pois sua alma guardará a verdade de vosso coração, como o gosto do vinho é recordado,

Quando a cor é esquecida e a ânfora não mais existe.

E um astrônomo disse:

Mestre, e quanto ao Tempo?

E ele respondeu:

Vós quereis medir o tempo, o qual é infinito e imensurável.

Vós quereis ajustar vossa conduta, e até mesmo dirigir o curso de vosso espírito de acordo com as horas e com as estações.

Do tempo vós quereis fazer um arroio sobre cuja ribeira vós vos sentaríeis e observaríeis o fluxo.

Todavia, o intemporal em vós está ciente da intemporalidade da vida,

E sabe que o ontem não é senão a memória de hoje, e que o amanhã é o sonho deste.

E que aquilo que louva e contempla em vós reside ainda nas fronteiras daquele primeiro momento, que espalhou as estrelas pelo espaço.

Quem dentre vós não sente que sua força para amar é ilimitada?

E, todavia, quem não sente que o próprio amor, embora ilimitado, encerra-se no cerne de seu ser, não se deslocando de um pensamento de amor para outro, nem de um gesto de amor a outro?

E não é o tempo semelhante ao amor, indivisível e insondável?

Porém se em vosso pensamento vós deveis medir o tempo em estações, que cada estação abarque todas as outras estações,

E que o hoje abarque o passado com a recordação e o futuro com a ânsia.

E um dos anciãos da cidade disse:

Fala-nos do Bem e do Mal.

E ele respondeu:

Do bem que há em vós eu posso falar, mas não do mal.

Pois o que é o mal senão o bem torturado por sua própria fome e sede?

Em verdade, quando o bem está faminto, ele procura por alimento até mesmo nos negros antros, e quando está com sede ele bebe até mesmo de águas mortas.

Vós sois bons quando sois unos com vós mesmos.

Contudo, quando não sois unos com vós mesmos, não estais sendo maus.

Pois uma casa dividida não é um refúgio de ladrões; é apenas uma casa dividida.

E um navio sem um leme pode navegar a esmo por entre ilhas perigosas, sem todavia afundar.

Vós sois bons quando vos esforçais por dar de vós mesmos.

Contudo, vós não sois maus quando buscais vosso próprio ganho.

Pois quando buscais vosso próprio benefício, vós sois apenas uma raiz que se agarra à terra e sorve de seu seio.

Certamente o fruto não pode dizer à raiz: 'Sê como eu, madura e nédia, e sempre oferecedora de sua abundância'.

Pois para o fruto prover é uma necessidade, assim como receber é uma necessidade para a raiz.

Vós sois bons quando sois completamente vigilantes em vossa fala,

Contudo não sois maus quando adormeceivos enquanto vossa língua vacila sem propósito.

E mesmo uma fala hesitante pode fortalecer uma língua débil.

Vós sois bons quando caminhais rumo a vossa meta com passos firmes e corajosos.

Contudo vós não sois maus quando para ele dirigi-vos aos tropeços.

Mesmo aqueles que tropeçam não caminham para trás.

Vós, porém, que sois fortes e velozes cuidais de não tropeçar diante do manco por amabilidade.

Vós sois bons de maneiras inumeráveis, e vós não sois maus quando não estais sendo bons,

Vós sois apenas lentos e ociosos.

É uma pena que o cervo não possa ensinar a velocidade às tartarugas.

Em vossa ânsia por vosso eu gigante reside vossa bondade: e esta ânsia está em cada um de vós.

Mas em alguns de vós esta ânsia é uma torrente correndo com fúria para o mar, carregando os segredos dos vales e as canções da floresta.

E em outros é uma corrente monótona que se perde em ângulos e curvas e obstáculos antes de alcançar a costa.

Mas que aquele que muito anseia não diga àquele cuja ânsia é pequena: 'Por que és lento e vacilante?'.

Pois o verdadeiramente bom não pergunta ao desprovido de roupas: 'Onde estão tuas vestimentas?' nem ao desabrigado: 'O que aconteceu com tua casa?'.

Então uma Sacerdotisa disse:

Fala-nos da Oração.

E ele respondeu, dizendo:

Vós orais em vossa aflição ou necessidade; quem dera vós orassem também na plenitude de vossa alegria e em vossos dias de abundância.

Pois o que é a oração senão a expansão de vós mesmos no éter vivente?

E se vos conforta verter vossas trevas no espaço, também vos trará deleite verter a aurora de vosso coração.

E se vós sois capazes apenas de lamentar-vos quando vossa alma os incita à oração, ela deveria açoitar-vos repetidas vezes, embora lamentando, até que viésseis a rir.

Quando vós orais, vós alçai-vos para encontrarde-vos no firmamento com aqueles que oram naquela mesma hora, e os quais salvo em oração vós não podeis encontrar.

Portanto, que vossa visita ao templo seja apenas pelo êxtase e pela encantadora comunhão.

Pois se vós adentrardes o templo com o propósito único de pedir, vós não recebereis:

E se vós o adentrardes para vos rebaixardes, vós não sereis erguidos:

Ou mesmo se o adentrardes para implorar pelo bem de outros vós, não sereis ouvidos.

É suficiente que vós entreis no templo invisíveis.

Eu não posso ensiná-los como orar com palavras.

Deus não ouve vossas palavras salvo quando Ele próprio as profere por vossos lábios.

E eu não posso ensiná-los a oração dos mares e das florestas e das montanhas.

Porém vós que nascestes nas montanhas e nas florestas e nos mares podem encontrar suas orações em vossos corações,

E se vós apenas escutardes na quietude da noite, vós ouvireis eles dizendo em silêncio:

'Nosso Deus, que és nosso eu sublime, é Tua vontade em nós que tenciona.

É Teu desejo em nós que deseja.

É Teu impulso em nós que quer tornar nossas noites, as quais são Tuas, em dias os quais também são Teus.

Nós não podemos pedir-Te nada, pois Tu conheces nossas necessidades antes que elas surjam em nós:

Tu és nossa necessidade; e dando-nos mais de Ti mesmo Tu nos dá tudo.'

Então um eremita, que visitava a cidade uma vez ao ano, adiantou-se e disse:

Fala-nos do Prazer.

E ele respondeu, dizendo:

O prazer é um cântico de libertação,

Porém não é liberdade.

É o florescer de nossos desejos,

Porém não é seus frutos.

É um abismo invocando a um píncaro,

Porém não é nem o profundo nem o elevado.

É o enjaulado criando asas,

Porém não é o espaço encerrado.

Sim, na mais pura verdade, o prazer é um cântico de libertação.

E eu bem que desejaria ver-vos cantá-lo com coração pleno; todavia eu não gostaria de ver-vos perder o coração no cantar.

Alguns de vossos jovens buscam o prazer como se ele fosse tudo, e eles são julgados e repreendidos.

Eu não os julgaria nem os repreenderia. Eu os deixaria prosseguir com suas buscas.

Pois eles encontrarão o prazer, mas não só ele;

Sete são seus irmãos, e o último deles é mais belo que o prazer.

Vós não ouvistes falar do homem que cavava a terra à procura de raízes e encontrou um tesouro?

E alguns de vossos anciões recordam-se de seus prazeres com remorso, como se fossem iniquidades cometidas durante a embriaguez.

Mas o remorso é o anuviar da mente e não sua punição.

Eles deveriam lembrar de seus prazeres com gratidão, como o fariam com a colheita de um verão.

Todavia se os conforta sentir remorso, que eles então sejam confortados.

E há entre vós aqueles que não são nem jovens para buscar nem velhos para recordar;

E por seu temor em buscar e recordar eles evitam todos os prazeres, para que não negligenciem o espírito nem o ofendam.

Em sua própria renúncia, porém, está seu prazer.

E assim eles também encontram um tesouro embora cavem à procura de raízes com mãos tremulantes.

Mas digai-me, quem é que pode ofender o espírito?

Por acaso o rouxinol ofende a quietude da noite, ou o vaga-lume, as estrelas?

E vossa chama ou fumaça é capaz de queimar o vento?

Pensais vós que o espírito é um charco inerte que podeis disturbar com um bastão?

Muitas vezes ao negardes a vós mesmos o prazer vós apenas armazenais o desejo nos recônditos de vosso ser.

Quem sabe se o que parece olvidado hoje não espera pelo amanhã?

Mesmo vosso corpo conhece sua herança e sua necessidade legítima e não será burlado.

E vosso corpo é a harpa de vossa alma,

E cabe a vós deles extrairdes uma canção encantadora ou sons confusos.

E assim vós inqueris em vosso coração: 'Como distinguiremos o que é bom no prazer daquilo que não é bom?'.

Dirigi-vos a vossos campos e jardins, e vós aprendereis que é o prazer da abelha extrair o néctar da flor,

Mas que também é o prazer da flor produzir o néctar para a abelha.

Pois para a abelha a flor é uma fonte de vida,

E para a flor a abelha é um arauto do amor,

E para ambas, abelha e flor, a conferição e o recebimento do prazer são uma necessidade e um êxtase.

Povo de Orphalese, em vossos prazeres sejais como as flores e as abelhas.

E um poeta disse:

Fala-nos da Beleza.

E ele respondeu:

Onde buscareis a beleza, e como a encontrareis a menos que ela própria seja vosso caminho e vosso guia?

E como falareis dela a não ser que ela teça vosso discurso?

O entristecido e o injuriado dizem: 'A beleza é amável e gentil.

Como uma jovem mãe um tanto tímida por sua própria glória ela caminha entre nós'.

E os apaixonados dizem: 'Não, a beleza é temível e poderosa.

Como a tempestade ela sacode a terra sob nossos pés e o sol acima de nossas cabeças'.

Os cansados e fatigados dizem: 'A beleza sussurra suavemente. Ela fala em nosso espírito.

Sua voz entrega-se ao nosso silêncio como uma luz débil que tremula com medo da sombra'.

Mas os inquietos dizem: 'Nós a ouvimos gritar entre as montanhas,

E com seus gritos veio o som de cascos, e o bater de asas e o rugir de leões'.

À noite, o guardião da cidade diz: 'A beleza elevar-se-á com a aurora ao leste'.

Ao meio-dia, os labutadores e os transeuntes dizem: 'Nós a vimos curvando-se sobre a terra das janelas do poente'.

No inverno, aqueles que estão cercados pela neve dizem: 'Ela virá com a primavera saltando sobre as colinas'.

E no calor do verão, os ceifeiros dizem: 'Nós a vimos dançando com as folhas do outono, e vimos um monte de neve sobre seu cabelo'.

Tudo isto vós dissestes a respeito da beleza,

Contudo, na verdade, vós não falastes dela, mas de carências não satisfeitas,

E a beleza não é uma necessidade e sim um êxtase.

Ela não é uma boca sedenta nem uma mão vazia estendida,

Mas pelo contrário é um coração inflamado e uma alma encantada.

Não é a imagem que desejais ver nem a canção que desejais ouvir,

Mas pelo contrário é uma imagem que vós vedes não obstante cerreis vossos olhos e uma canção que ouvis não obstante tapeis vossos ouvidos.

Não é a seiva dentro do sulco na casca da árvore, nem uma asa anexada a uma garra,

Mas pelo contrário é um jardim eternamente em flor e ordem de anjos eternamente em voo.

Povo de Orphalese, a beleza é a vida quando desvela sua face sagrada.

Contudo, vós sois a vida e vós sois o véu.

A beleza é a eternidade mirando a si mesma num espelho.

Contudo, vós sois a eternidade e vós sois o espelho.

E um velho sacerdote disse:

Fala-nos da Religião.

E ele disse:

Tenho eu falado neste dia sobre alguma outra coisa?

Não é a religião todos os atos e reflexões,

E aquilo que não é nem ato nem reflexão, e sim um deslumbramento e uma surpresa sempre crescente na alma, mesmo enquanto as mãos fendem a pedra ou movem o tear?

Quem pode separar sua fé de suas ações, ou suas crenças de suas ocupações?

Quem pode despender suas horas dizendo: 'Isto é por Deus e isto por mim mesmo; Isto é por minha alma e isto outro é por meu corpo?'.

Todas vossas horas são asas que batem pelo espaço passando de um eu ao outro.

Aquele que usa sua moralidade como se fosse sua melhor vestimenta seria melhor que estivesse nu.

O vento e o sol não cavarão buracos em sua pele.

E aquele que delimita sua conduta pela ética aprisiona seu pássaro canoro numa jaula.

A canção espontânea não vem por meio de barras e arames.

E aquele para o qual a adoração é uma janela, para ser fechada mas também para ser aberta, ainda não visitou a casa de sua alma cujas janelas permanecem abertas de aurora a aurora.

Vossa vida diária é vosso templo e vossa religião.

Sempre que entrardes nele levai convosco vosso todo.

Levai o arado e a forja e o malho e o alaúde,

As coisas que haveis criado por necessidade ou por deleite.

Pois em devaneio vós não podeis alçarde-vos acima de vossas conquistas nem descenderdes abaixo de vossos fracassos.

E levai convosco todos os homens:

Pois na adoração vós não podeis voar mais alto do que suas esperanças nem rebaixar-se mais do que seu desespero.

E se vós anelais conhecer a Deus, não sejais, portanto, solucionadores de enigmas.

Em vez disso, olhai ao vosso redor e vê-Lo-eis brincando com vossas crianças.

E olhais para o espaço; vós O avistareis caminhando sobre as nuvens, estendendo Seus braços no relâmpago e descendo com a chuva.

Vós O vereis sorrindo nas flores, e então elevando-Se e agitando Suas mãos nas árvores.

Então Almitra tomou a palavra, dizendo:

Nós gostaríamos agora de perguntar sobre a Morte.

E ele disse:

Vós quereis conhecer o segredo da morte.

Mas como podereis encontrá-lo a menos que o procureis no seio da vida?

A coruja cujos olhos, próprios para a noite, são cegos durante o dia não pode revelar o mistério da luz.

Se vós de fato desejais apreender o espírito da morte, abri amplamente vosso coração para o corpo da vida.

Pois a vida e a morte são unas, assim como o rio e o mar são unos.

Nas profundezas de vossas esperanças e desejos jaz vosso silencioso conhecimento do além;

E como sementes sonhando sob a neve vosso coração sonha com a primavera.

Confiai nos sonhos, pois neles está escondido o segredo para a eternidade.

Vosso temor da morte é semelhante ao tremor do pastor quando fica diante de um rei cuja mão será posta sobre ele como demonstração de honra.

Não está o pastor jubiloso debaixo de seu tremor, pois ele carregará o sinal do rei?

No entanto não presta ele maior atenção a seu tremor?

Pois o que é morrer senão permanecer desnudo ao vento e fundir com o sol?

E o que é deixar de respirar senão livrar o alento de seus intermináveis fluxos, para que ele possa elevar-se e buscar a Deus desimpedido?

Somente quando vós beberdes do rio do silêncio, vós cantareis realmente.

E quando vós houverdes alcançado o topo da montanha, então vós começareis a escalada.

E quando a terra reivindicar vossos membros, então vós dançareis realmente.

E eis que então já caíra a noite.

E Almitra, a profetisa, disse:

Abençoado seja este dia e este lugar e teu espírito que nos tem falado.

E ele respondeu:

Fui eu quem de fato falei?

Não era eu também um ouvinte?

Então ele desceu os degraus do Templo e todo o povo o seguiu. E ele alcançou seu navio e permaneceu sobre o convés.

E mirando o povo mais uma vez, ele ergueu sua voz e disse:

Povo de Orphalese, o vento convida-me a deixá-los.

Menos apressado sou eu do que o vento, todavia devo partir.

Nós viajantes, sempre buscando o caminho mais solitário, não começamos um dia onde houvermos terminado outro; e nenhum alvorecer nos encontra onde nos deixou o ocaso.

Mesmo enquanto a terra dorme nós viajamos.

Nós somos as sementes de uma planta tenaz, é em nossa própria maturidade e plenitude de coração que somos lançados ao vento e somos espalhados.

Breves foram meus dias entre vós, e mais breves ainda as palavras que proferi.

Mas se um dia minha voz enfraquecer em vossos ouvidos, e meu amor esvaecer em vossa memória, então eu retornarei,

E com um coração ainda mais fecundo e lábios mais submissos ao espírito eu falarei.

Sim, eu voltarei com a maré,

E embora a morte possa ocultar-me, e o silêncio supremo envolver-me, ainda assim buscarei vosso conhecimento.

E não o farei em vão.

Se algo do que eu disse for verdade, aquela verdade revelar-se-á com voz ainda mais nítida e com palavras mais familiares a vossas concepções.

Eu sigo com o vento, povo de Orphalese, mas não cairei no vazio;

Se este dia não é uma realização de vossas necessidades e de meu amor, então que haja uma promessa de outro dia.

As necessidades do homem mudam, mas não seu amor, nem seu desejo de que seu amor satisfaça suas necessidades.

Sabei, portanto, que do silêncio supremo retornarei.

A névoa que se dissipa com o amanhecer, deixando apenas o orvalho nos campos, deve elevar-se e ajuntar-se numa nuvem e então cair na forma de chuva.

E eu não fui diferente da névoa.

Na quietude da noite eu caminhei por vossas ruas, e meu espírito adentrou vossas casas,

E as batidas de vossos corações estiveram em meu coração, e vosso alento esteve sobre meu rosto, eu os conheci a todos.

Sim, eu conheci vossa alegria e vossa dor, e em vosso sono vossos sonhos foram meus sonhos.

E muitas vezes eu fui entre vós como um lago entre montanhas.

Eu espelhei vossos ápices e vossos declives, e até mesmo os rebanhos passantes de vossos pensamentos e de vossos desejos.

E ao meu silêncio veio o riso de vossas crianças em correntes, e a saudade de vossas juventudes em rios.

E quando alcançaram minhas profundezas as correntes e os rios, todavia não deixaram de cantar.

Mas ainda mais encantadores do que o riso e maiores do que a saudade vieram até mim.

Eram o ilimitado em vós;

O incomensurável homem no qual sois apenas células e nervos;

Aquele em cujo canto todo vosso cantar não passa de uma batida surda.

É no homem incomensurável que vós sois incomensuráveis,

E observando-o eu vos observei e amei-vos.

Pois que distância pode alcançar o amor que não está na esfera do incomensurável?

Que visões, que expectativas e que presunções podem ultrapassar este voo?

Como um carvalho gigante coberto com flores de maçã é o homem incomensurável em vós.

Seu poder liga-vos à terra, sua fragrância eleva-vos ao espaço, e em sua perenidade vós sois imortais.

Foi-vos dito que, assim como uma corrente, vós sois tão fracos quanto vosso elo mais frágil.

Esta não passa de metade da verdade. Vós sois também tão fortes quanto vosso elo mais resistente.

Avaliar-vos por vossa menor obra é como calcular o poder do oceano pela fragilidade de sua espuma.

Julgar-vos por vossos fracassos é como culpar as estações por suas inconstâncias.

Sim, vós sois como o oceano,

E embora navios encalhados em vossas costas esperem pelas correntezas, todavia, vós não podeis acelerá-las.

E como as estações sois vós também,

E embora em vosso inverno negais vossa primavera,

Ainda assim a primavera, repousando dentro de vós, sorri em sua sonolência e não se ofende.

Não penseis que eu digo estas coisas a fim de que digais uns aos outros: 'Ele nos exaltou bastante. Ele viu somente nossas qualidades'.

Eu apenas vos falo com palavras que vós mesmos conheceis em vossos pensamentos.

E o que é a sabedoria da palavra senão uma sombra da sabedoria inefável?

Vossos pensamentos e minhas palavras são oscilações de uma memória lacrada que guarda registros de vosso ontem,

E dos dias antigos quando a terra não nos conhecia nem conhecia a si mesma,

E de noites quando a terra era repleta de confusão.

Os homens sábios vão ter convosco para dar-vos de sua sabedoria. Eu vim tomar de vossa sabedoria:

E observando eu encontrei algo maior que a sabedoria.

É um espírito de fogo que em vós sempre cresce constantemente alimentando sua própria chama,

Enquanto vós, desatentos a sua expansão, lamentam o fim de vossos dias.

É a vida em busca da vida em corpos que temem a sepultura.

Não há sepulturas aqui.

Estas montanhas e estas planícies são um berço e alpondras.

Sempre que passardes pelo campo onde deixastes vossos ancestrais olhais atentamente e vereis vós e vossos filhos dançando de mãos dadas.

Em verdade, frequentemente, vós vos divertis sem saber.

Outros vieram a vós aos quais em troca de promessas douradas a vós feitas em boa fé vós destes riquezas, poder e glória.

Menos do que uma promessa eu vos dei, e todavia vós fostes mais generosos comigo.

Vós me infundistes uma maior ânsia pela vida.

Certamente não há maior dádiva para um homem do que aquela que transforma todas as suas metas em lábios ressequidos e toda a vida em um manancial.

E nisto jaz minha honra e minha recompensa –

Que sempre que venho ao manancial beber encontro a própria água sedenta;

E ela bebe de mim enquanto eu bebo dela.

Alguns de vós me julgastes demasiadamente orgulhoso e reservado para receber presentes.

Muito orgulhoso eu sou para receber pagas, não presentes.

E não obstante eu tenha me alimentado de bagas nas colinas enquanto vós me queríeis sentar a vossa mesa,

E dormido ao pórtico do templo quando vós de bom grado teríeis acolhido-me,

Ainda assim não foi vossa afetuosa preocupação com meus dias e minhas noites que fez a comida agradável a meu paladar e meu sono repleto de visões?

Por isto eu muito vos abençoo:

Vós dais muito e nem mesmo sabeis que estais dando.

Verdadeiramente, a benevolência que mira a si mesma no espelho converte-se em pedra,

E uma boa ação que vangloria a si mesma com palavras afáveis torna-se fonte de desgraça.

E alguns de vós tendes chamado-me indiferente, e inebriado com minha própria solitude,

E vós dissestes: 'Ele reúne-se com as árvores da floresta, mas não com os homens.

Ele senta-se a sós nos cumes das colinas e olha para baixo sobre nossa cidade'.

É verdade que escalei as colinas e andei por lugares remotos.

Como eu poderia ter-vos visto senão a uma grande altura ou a uma grande distância?

Como alguém pode de fato estar próximo a menos que esteja longe?

E outros dentre vós me chamaram, não com palavras, e disseram:

'Estranho, estranho, amante dos píncaros inatingíveis, por que vives entre os picos onde as águias constroem seus ninhos?

Por que buscas o inatingível?

Que tormentas desejas apanhar em tua rede,

E que pássaros etéreos tu caças no céu?

Vem e sê um de nós.

Desce e satisfaz tua fome com nosso pão e sacia tua sede com nosso vinho'.

Na solitude de suas almas eles disseram estas coisas;

Mas se sua solidão fosse ainda mais profunda, eles saberiam que eu buscava apenas o segredo de vossa alegria e de vossa aflição,

E que eu caçava somente vossos eus superiores que caminham sobre o céu.

O caçador, porém, era também a presa;

Pois muitas de minhas flechas deixaram meu arco simplesmente para ir de encontro a meu próprio peito.

E o voador era também o rastejante;

Pois quando minhas asas estendiam-se sob o sol, sua sombra sobre a terra era uma tartaruga.

E eu o crente era também o cético;

Pois muitas vezes coloquei meu dedo em minha própria ferida para que pudesse ter uma maior crença em vós e um maior conhecimento de vós.

E é com esta crença e este conhecimento que eu digo:

Vós não estais encerrados em vossos corpos, nem confinados em vossas casas ou campos.

Que o que vós sois habita acima da montanha e perambula com o vento.

Não é algo que rasteja sob o sol buscando por calor ou que escava buracos na escuridão buscando por segurança,

E sim algo livre, um espírito que envolve a terra e desloca-se no éter.

Se estas forem palavras vagas, então não procureis esclarecê-las.

Vago e nebuloso é o princípio de todas as coisas, mas não seu fim,

E eu gostaria muito que lembrásseis de mim como um princípio.

A vida, e tudo o que vive, é concebida na bruma e não no cristal.

E quem sabe se o cristal não é uma bruma em deterioração?

Isto eu gostaria que vós vos lembrásseis quando vos recordásseis de mim:

Que aquilo que parece mais débil e confuso em vós é o mais forte e mais determinado.

Não foi vossa respiração que erigiu e fortificou a estrutura de seus ossos?

E não foi um sonho que nenhum de vós recorda haver sonhado, que construiu vossa cidade e fez tudo que nela está?

Se vós pudésseis apenas ver os fluxos da respiração, vós deixaríeis de ver tudo o mais,

E se pudésseis ouvir o murmúrio do sonho, vós não ouviríeis qualquer outro som.

Porém vós não sois capazes de ver, nem tampouco de ouvir, e isto é bom.

O véu que nubla vossos olhos será erguido pelas mãos que o teceram,

E o barro que tapa vossos ouvidos será trespassado pelos dedos que o misturaram.

E vós vereis,

E vós ouvireis.

Todavia vós não lamentareis terdes conhecido a cegueira, nem sentireis pesar por terdes sido surdos.

Pois neste dia conhecereis o propósito oculto de todas as coisas,

E vós bendireis a escuridão como bendizeis a luz.

Após dizer estas coisas, ele olhou ao seu redor, e viu o piloto de seu navio parado ao leme e mirando ora as velas bufantes ora o horizonte.

E ele disse:

Paciente, extremamente paciente é o capitão de meu navio.

O vento sopra, e intranquilas estão as velas;

Até mesmo o leme pede por uma direção;

Todavia, calmamente meu capitão aguarda meu silêncio.

E estes marinheiros, que ouviram o coro de mares mais vastos, estes também me ouviram pacientemente.

Agora eles não devem mais esperar.

Eu estou pronto.

A correnteza alcançou o mar, e mais uma vez a grande mãe segura seu filho contra seu seio.

Adeus, povo de Orphalese.

Este dia chegou ao fim.

Está fechando-se sobre nós assim como o nenúfar fecha-se sobre seu próprio amanhã.

O que nos foi dado aqui nós guardaremos,

E se não for suficiente, então mais uma vez nos reuniremos e juntos estenderemos a mão ao doador.

Não vos esqueceis de que eu voltarei a vós.

Mais algum tempo, e minha saudade reunirá argila e espuma para construir um outro corpo.

Mais algum tempo, um momento de repouso sobre o vento, e outra mulher conceber-me-á.

Despeço-me de vós e da juventude que passei convosco.

Foi apenas ontem que nos conhecemos em um sonho.

Vós cantastes para mim em minha solidão, e eu com vossos anseios construí uma torre no céu.

Mas agora nosso sono passou e nosso sonho chegou ao fim, e já não é mais manhã.

O meio-dia já sobreveio e nosso débil despertar transformou-se em um dia pleno, e nós devemos separarmo-nos.

Se no crepúsculo de nossa memória encontrarmo-nos uma vez mais, nós conversaremos novamente e vós cantareis para mim uma canção mais profunda.

E se nossas mãos encontrarem-se em outro sonho, nós construiremos outra torre no céu.

Assim dizendo, ele fez um sinal para os marinheiros, e imediatamente eles levantaram a âncora e soltaram as amarras, e dirigiram-se para o leste.

E um clamor ergueu-se do povo como se provindo de um único coração, e ele elevou-se no crepúsculo e foi carregado pelo mar como um grande brado.

Somente Almitra estava em silêncio, olhando na direção do navio até que ele desaparecesse na névoa.

E quando todo o povo havia se dispersado, ela ainda permaneceu a sós sobre o talha-mar, recordando em seu coração o que ele dissera:

'Mais algum tempo, um momento de repouso sobre o vento, e outra mulher conceber-me-á'.

MADRAS® Editora — CADASTRO/MALA DIRETA

Envie este cadastro preenchido e passará a receber informações dos nossos lançamentos, nas áreas que determinar.

Nome _____

RG _____ CPF _____

Endereço Residencial _____

Bairro _____ Cidade _____ Estado ____

CEP _____ Fone _____

E-mail _____

Sexo ❑ Fem. ❑ Masc. Nascimento _____

Profissão _____ Escolaridade (Nível/Curso) _____

Você compra livros:
- ❑ livrarias
- ❑ feiras
- ❑ telefone
- ❑ Sedex livro (reembolso postal mais rápido)
- ❑ outros: _____

Quais os tipos de literatura que você lê:
- ❑ Jurídicos
- ❑ Pedagogia
- ❑ Business
- ❑ Romances/espíritas
- ❑ Esoterismo
- ❑ Psicologia
- ❑ Saúde
- ❑ Espíritas/doutrinas
- ❑ Bruxaria
- ❑ Autoajuda
- ❑ Maçonaria
- ❑ Outros:

Qual a sua opinião a respeito desta obra? _____
_____

Indique amigos que gostariam de receber MALA DIRETA:

Nome _____

Endereço Residencial _____

Bairro _____ Cidade _____ CEP ____

Nome do livro adquirido: ***O Profeta***

Para receber catálogos, lista de preços e outras informações, escreva para:

MADRAS EDITORA LTDA.
Rua Paulo Gonçalves, 88 — Santana
CEP 02403-020 — São Paulo — SP
Caixa Postal 12299 — CEP 02013-970 — SP
Tel.: (11) 2281-5555 – Fax: (11) 2959-3090
www.madras.com.br

Este livro foi composto em Times New Roman, corpo 11/12.
Papel Offset 75g –
Impressão e Acabamento
Sumago Gráfica Editorial Ltda. – Rua Itaúna, 789
Vila Maria – São Paulo/SP – Tel.: (0_ _11) 2955-5636
e-mail: graficasumago@uol.com.br